それって あたりまえ?

さく・え　永井みさえ

おはよ〜
あさごはん　たべよ〜

それって　あたりまえ？

ぼくは　おもったんだ。
あさごはんの　たまご　ハム　おさかな　サラダ
たべられることって、あたりまえかな？

たまごは　そだてた　とりが　たまごを　うんで、
ハムは　そだてた　ぶたさんの　おにくから　つくる。

おさかなは　りょうしさんが　つってきてくれて、

サラダや　おこめは　のうかさんが　たいせつに
そだててくれるから　たべられるんだ。

もしも　あさごはんの　ざいりょうを　じぶんで
つくらなきゃ　いけなかったら……

そだてたり、
つったりしなきゃ
いけない……。

なかなか
つれない……

あついし
たいへん

なにより　ままが　つくってくれるから
あさごはんが　たべられるんだ！

それって あたりまえ？

ようちえんに ついた。ぼくは また おもったんだ。
ようちえんの せんせいって あたりまえかな？

せんせいにも
あかちゃんの　ときがあったんだ。
それから　おおきくなって
べんきょうして、せんせいに　なったんだ。

あかちゃん　　　　　ようちえん　　　　　しょうがっこう

せんせいが　いなかったら、　ようちえんは　いけないし、
おともだちにも　あえないし
　　　　　　　　　たいへんだー！

ちゅうがっこう

こうこうせい　だいがくせい

ようちえんのせんせい

せんせいが　いなかったら、
あそびかたが　わからなくて……

それって　あたりまえ？

ようちえんの　かえり。ぼくは　また　おもったんだ。
みんなで　バスでかえることって　あたりまえかな？

バスを　つくってくれるひとが　いて、
バスを　うんてん　してくれる　ひとがいる。

もしも　むかしのひとだったら　うまに　のってかえるけど
とっても　あぶなーい！
あるいて　かえったら、たーくさん　じかんが　かかって
よるごはんに　まにあわなく　なっちゃうね〜。

「おにぃちゃん　ただいま！
あのね　おにぃちゃん。
ぼく　きょう　いっぱい　かんがえたんだよ」

「おかえり。ぼくは　おえかき　してたよ」
「いいな〜おにぃちゃんのつくえ。ぼくも　ほしいな」

まずは　もりの　かみさまに　あいさつして
きを　きって、たいらにしたら　くみたてて……

トンカチで トントン トントン

いいにおい～

ねじを くるくる

つくえの かんせーい！

「まま　ぱぱ　みて〜
じぶんで　つくえ　つくれたよ」
「すごいじゃない　がんばったね」

ままとぱぱが　ほめてくれた。
たまに　おこられちゃう　ときもあるけど
ぼくに　とって
あたりまえで　とくべつなこと。

あたりまえだって　おもっていたことは、
じつは　あたりまえ　じゃないんだ。
いきを　すって　はいて　かんじて、
ぼくが　いきている　ことって
とくべつな　ことなんだね。

それってあたりまえ？

2021年9月17日　初版第1刷発行

監　修　6歳になったら机を作ろう！委員会
企　画　ばうむ合同会社

〒781-3609　高知県長岡郡本山町助藤1372番地
TEL0887-76-3355

https://iko-yo.net/topics/desk

いこーよ
〒141-0031
東京都品川区西五反田7-22 17 TOC ビル9階20号

作・絵　永井みさえ

発行　ゆめのかたち合同会社　〒781-5101　高知市布師田1607-6　misa3chuchuma@yahoo.co.jp
発売　リーブル出版　〒780-8040　高知市神田2126-1　TEL088-837-1250　　印刷　株式会社リーブル